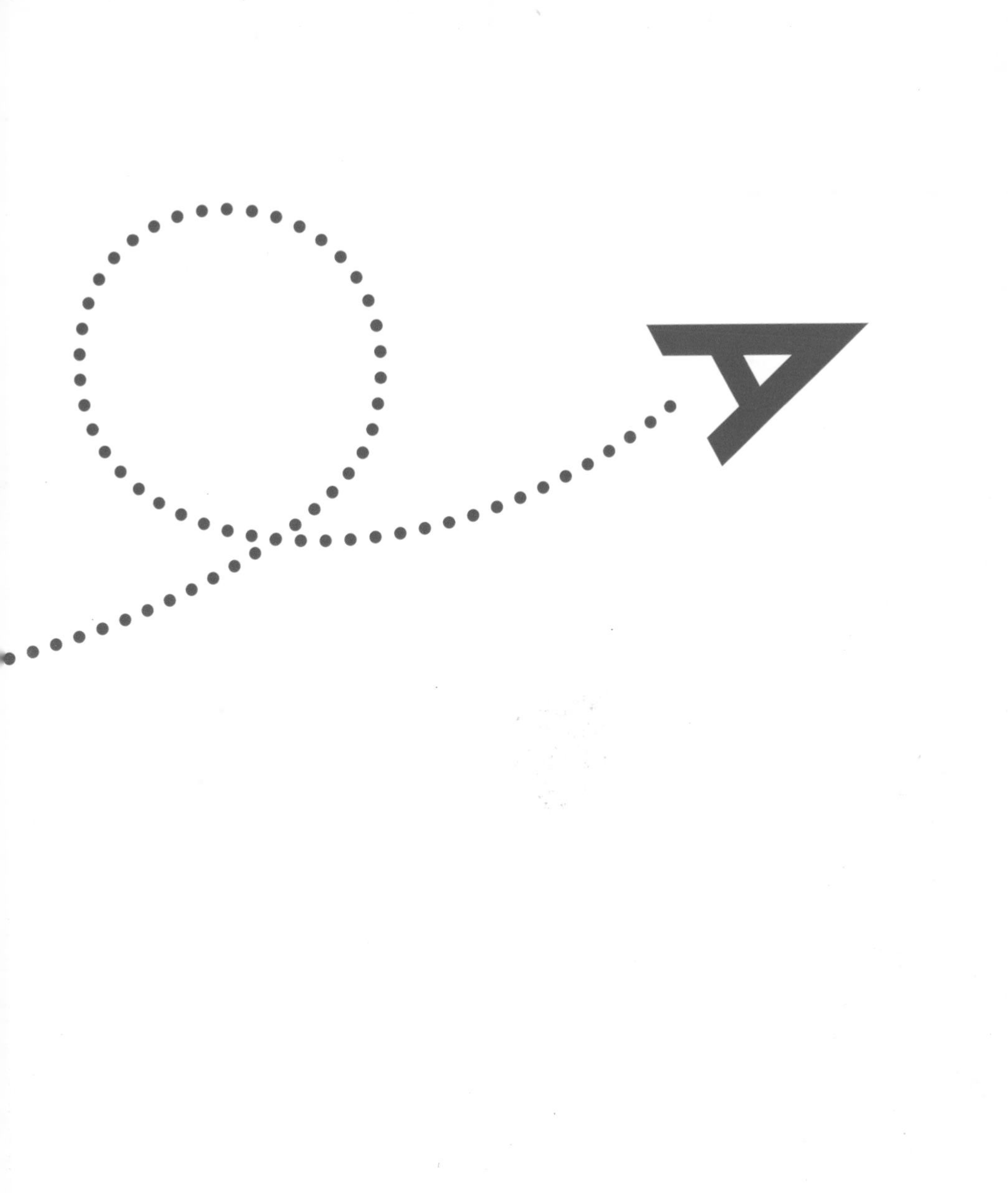

Estudio de grabación: creamostumusica.com

ISBN: 978-84-263-7442-4
Depósito legal: Z-577-2011

Impresión
Edelvives Talleres Gráficos. Certificado ISO 9001
Impreso en Zaragoza, España

EDELVIVES

ALA DELTA

Rodando, rodando...

Marinella Terzi

Ilustraciones
Margarita Menéndez

Para Rosanna y para mí misma,
para las niñas que fuimos,
porque nuestra risa
bajaba rodando por las praderas.

Popelín está cansada.
Le duele el brazo
de tenerlo tanto tiempo levantado.
Además, es una lata estar viendo
solo piernas y piernas.

Mamá la lleva
agarrada muy fuerte
y anda a grandes zancadas;
casi la arrastra.

Tiene prisa por llegar a casa.
Hoy ha salido tarde del trabajo
y en el mercado había
una cola inmensa.
Ya ha oscurecido
y la ciudad se ha llenado de luces.
Popelín no puede más.
Así que decide declararse en huelga.
A veces, eso le funciona.
Se sienta de golpe en el suelo
y se pone a llorar.

BUUAAAAAAAAAA

—¡Ay, no, Popelín! Levántate,
corre, que ya casi estamos llegando.
Yo también estoy cansada.
El carro de la compra pesa, ¿sabes?

Mamá ha dejado a un lado
el carro de cuadros escoceses
y se ha agachado para hablar
con Popelín.

Pero no hay manera,
la niña sigue con su
«buaaa, buaaa, buaaa...».

Y, de repente, mamá tiene
una idea:

—Oye, Popelín, ¿y si te sentaras
encima del carro?

La niña para por fin de llorar
y dice:

—¡Sí, sí, sí!

Esa es la única palabra que le sale.

Popelín levanta los brazos,
y descubre que ya no le duelen
nada, nada.

Mamá la aúpa y la sube al carro.

En el portal se encuentran con María, la hermana mayor de Popelín.

Viene de su clase de ballet.

—¿Quieres que bailemos un rato antes de cenar? —pregunta María.

—¡Sí, sí, sí! —exclama.

A Popelín le encanta bailar.

Mamá mete la llave
en la cerradura, abre la puerta
y grita:

—¡Hola, hola!

—¡Hola, hola! —contesta una voz
desde la cocina.

Papá está preparando la ensalada.

Las dos hermanas se van
corriendo hasta su cuarto.

María se quita la camiseta
y los pantalones y aparecen
las medias y el maillot negros.
Luego, se ata las zapatillas
de puntas.

Popelín no tiene zapatillas,
pero no le importa.
Rápidamente empieza a imitar
a su hermana mayor.

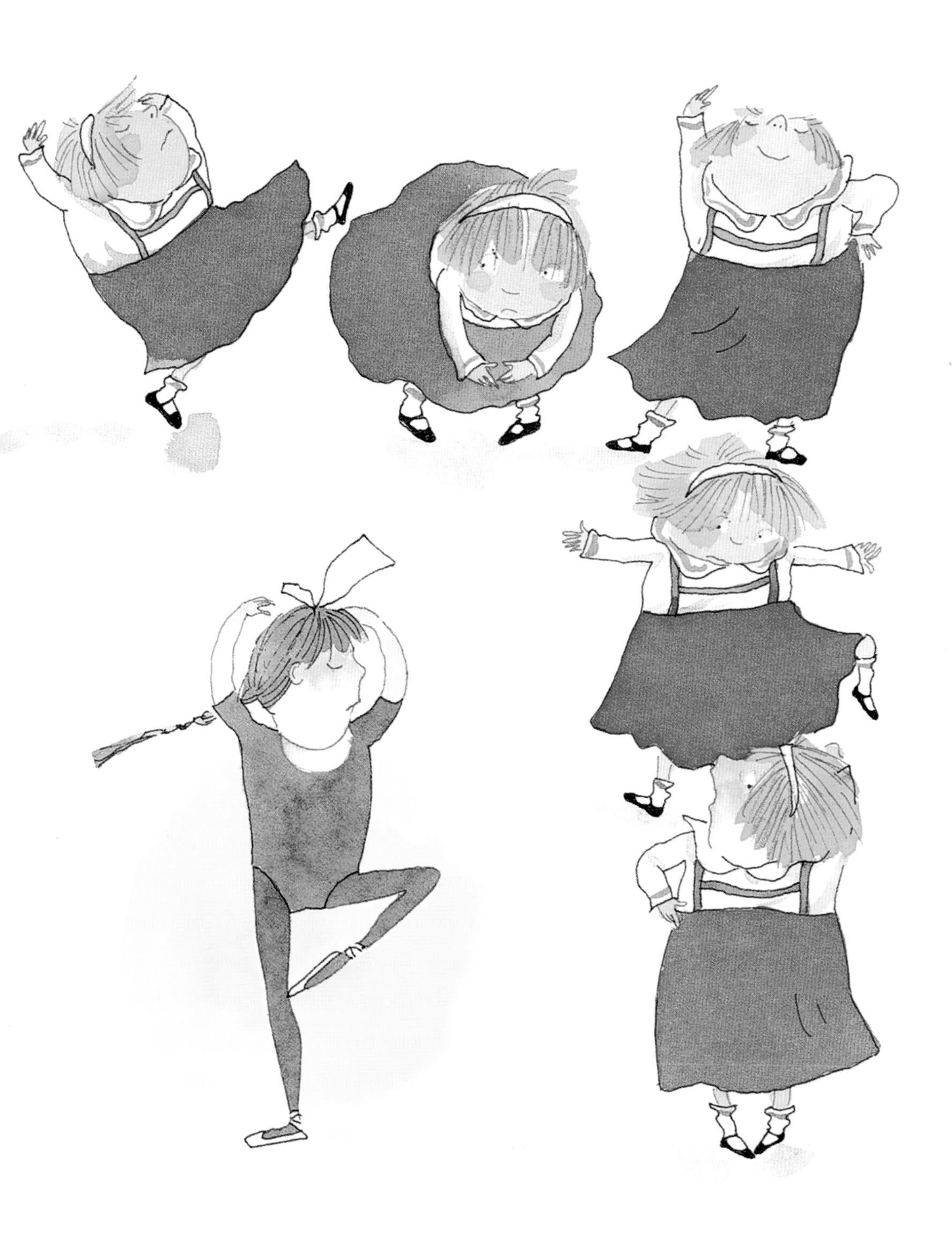

—Los brazos hacia arriba,
redondos, redondos.
Los pies en primera posición
—María repite las palabras
de su profesora—.
Pero ¡no, Popelín! ¡Así no!
¡No pongas los brazos tiesos
y coloca los pies hacia fuera!
¡Buf, qué mal lo haces, Popelín!
¡Bah! —Y María se va corriendo
a la cocina.

¡Qué hambre tiene María!

Popelín se queda sola
y lo intenta de nuevo.

Se mira en el espejo del armario
y quiere poner bien los pies,
y quiere colocar los brazos,
y la verdad es que no le sale nada,
nada bien.

Así que Popelín se declara
en huelga de brazos cruzados.
A la hora de la cena,
Popelín quiere comer sola la sopa,
pero no hay manera.
Mamá no le deja.
Y todo porque un día,
aprovechando que los demás
estaban despistados,
cogió la cuchara,
se le cayó sobre el plato
y se empapó de sopa.
¡Menos mal que llevaba babero!

Después de cenar, Popelín ayuda
a papá a recoger los cacharros.
Como mamá lo hizo ayer,
hoy le toca a él.

Papá abre el grifo del fregadero
y moja una cuchara de madera.
Luego se la da a Popelín
para que la seque.

Es muy difícil que quede bien
porque la madera tarda en secarse.

Así que la pequeña
se sienta en un taburete y sigue
frotando la cuchara con el trapo.
Quiere que quede perfecta
para que papá esté contento.
Mientras, él mete los platos,
los vasos, los cubiertos
y la sopera en el lavavajillas.

Cuando van al cuarto de estar,
mamá y María están jugando
al parchís.

A Popelín le gustan
las fichas de colores
y también ella quiere cogerlas
y ponerlas en las casillas,
pero María no le deja;
dice que ella no sabe jugar.

Menos mal que papá
empieza a hacerle cosquillas,
cosquillas, y Popelín no puede
parar de reír.

Luego, la coge en volandas
y, como si fuera un avión,
la lleva hasta su cama.

Hoy es fiesta.

Mientras papá y mamá acaban
de arreglar la casa,
María y Popelín bajan al parque.

En el muro que separa el parque
de la biblioteca pública
hay una canasta de baloncesto.

A María le encanta
entrenarse allí.
Bota dos veces su balón
y, después, lo tira a lo alto.
—¡Bieeen, he encestado
a la primera! —grita contenta.
—¡Sí, sí, sí! —chilla Popelín.
Corre detrás de María y del balón,
pero no hay manera:
no puede alcanzar a su hermana.
Por fin, antes de que Popelín
comience con sus pucheros,
María le tiende el balón.

La niña lo coge contenta,
lo arroja al aire;
el balón hace una curva, se tuerce
y cae justo sobre los pies de María,
que está a cuatro metros
de la canasta de baloncesto.

Popelín mira a su hermana
y sonríe.

Y María no puede evitar
decir en voz muy baja:

—¡Qué desastre, hija!

—¡Niñas, al coche, que ya
nos vamos!

Papá coge a Popelín de la mano
y espera a que el coche rojo,
conducido por mamá,
aparezca por la rampa del garaje.

María y Popelín suben detrás.
Delante, al lado de mamá,
va papá, de copiloto.

La familia va a pasar el día
en el campo: hay que aprovechar,
pues luce un sol estupendo.

Mientras circulan
a paso de tortuga, en medio
de una larguísima caravana,
mamá se pone a cantar:

Para ser conductor de primera,
acelera, acelera.
Para ser conductor de tercera,
pisa y frena, pisa y frena...

Popelín la acompaña, dando
palmas:

Tata te tototó tatatá,
tatera, tatera.
Tata te tototó tatatá,
tatera, tatera...

Todos se echan a reír y Popelín,
aunque no sabe por qué,
también se ríe, se ríe muchísimo.

Por fin llegan al sitio elegido.
Es una pradera enorme,
como una inmensa alfombra verde.

Papá y mamá despliegan
un mantel de lunares amarillos
y sacan la comida de la cesta.

—¡A comer! —dice mamá.
«¡Ñam, ñam! Mmm...»
¡Qué bueno estaba todo!
Y, después, ¡a dormir la siesta!
«Sss...» Silencio...
La primera en despertarse
es Popelín.
Se sube sobre las piernas
de mamá y le quita un zapato.
Así que la segunda en despertarse
es mamá, que,
para abrocharse el zapato,
retira la mano de debajo
de la cabeza de papá.

Ssssss

Así que el tercero en despertarse
es papá, que, tras el golpe
que se ha dado contra el suelo,
chilla «¡Ay, ay, ay!» justo
en la oreja de María.

Así que la cuarta en despertarse
es María.

—Bueno, ¿paseamos un poco?
—pregunta papá.

Meten todo en el coche, cierran
bien con llave y se van a caminar.

Comienzan a subir y subir
por la ladera, hasta que Popelín
se cansa de andar tanto.

Entonces, papá la sienta
sobre sus hombros
y continúan la excursión.

¡Qué bien se está allí arriba!
Popelín no deja de levantar
los brazos, porque le parece que
casi, casi puede rascar las nubes.

Luego, se sientan todos
sobre la hierba, en una pendiente,
para contemplar las montañas.

De pronto, Popelín se resbala
con la hierba y baja la pendiente
rodando, rodando.

¡Qué risas, qué risas!
Parece una peonza.

—Venga, yo también quiero
hacerlo —grita María.

Se tumba en el suelo
todo lo larga que es y se tira
hacia abajo con impulso.

—¡Ay, ay! ¡Qué daño!
Se me está clavando el cinturón,
qué daño —Y para al instante.

Popelín mira a mamá,
la señala con el dedo y dice:

—¡Sí, sí, sí!

—¡Huy, no, Popelín,
que me ensuciaría con la hierba!
—contesta ella en el acto.

—¡Yo sí, yo quiero probarlo!
—grita papá.
Y se tira también al suelo,
pero se da poco impulso
y solo rueda una vuelta y media.

—¡Bah, qué mal, papá!
Y Popelín acompaña
las palabras de María con un:
—¡No, no, no!
—Fíjate, a Popelín tampoco
le ha gustado nada,
hasta ha aprendido a decir «no»...
—Mamá levanta a la pequeña
y le da un beso en la nariz.
Pero Popelín se echa
otra vez al suelo y sigue rodando,
rodando, rodando.
—¡Qué lista eres, Popelín!
¡Lo haces mejor que nadie!
Papá le da un abrazo.

Y ella se suelta de nuevo y sigue
rodando y riendo, riendo
y rodando..., rodando sin parar.

SERIE ROJA

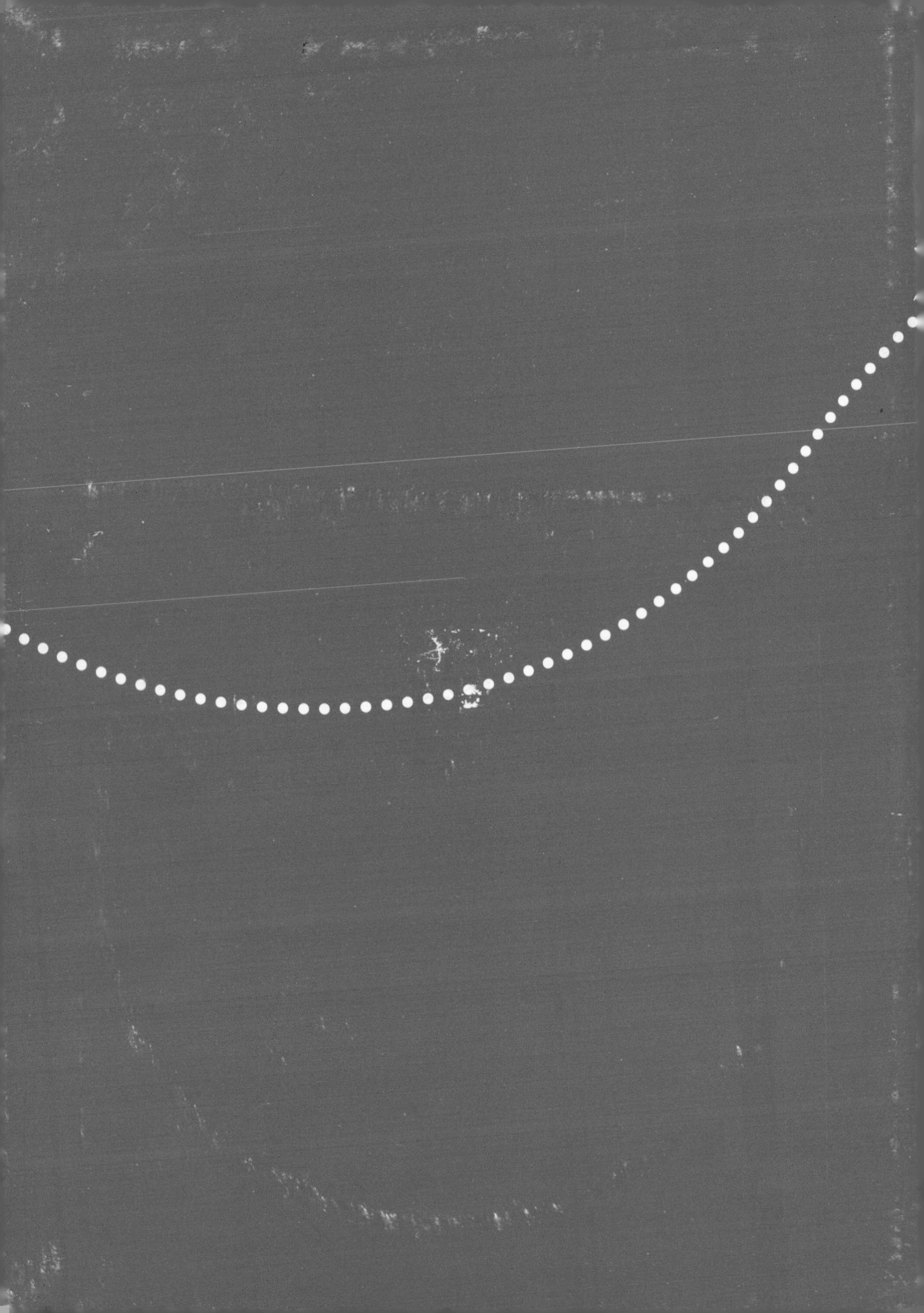